Quel temps fa[it]

LA PLUIE

Christopher Hernandez
Illustrations de Richard Watson
Texte français d'Isabelle Allard

Éditions
■ SCHOLASTIC

POUR A.M., N.C., J.S. ET B.M, QUI M'ONT TOUJOURS
PROTÉGÉ DES INTEMPÉRIES.
—C.H.

Catalogage avant publication de Bibliothèque et Archives Canada

Hernandez, Christopher
La pluie / Christopher Hernandez ; illustrateur, Richard Watson ;
traductrice, Isabelle Allard.

(Quel temps fait-il?)
Traduction de: Rain.

ISBN 978-1-4431-2529-1

1. Pluie--Ouvrages pour la jeunesse. I. Watson, Richard, 1980-
II. Titre. III. Collection: Hernandez, Christopher. Quel temps fait-il?

QC924.7.H46814 2013   j551.57'7   C2012-906457-2

Édition publiée par les Éditions Scholastic, 604, rue King Ouest,
Toronto (Ontario) M5V 1E1

5 4 3 2 1   Imprimé au Canada 119   13 14 15 16 17

Conception graphique du livre : Jennifer Rinaldi Windau

MIXTE
Papier issu de
sources responsables
FSC® C103113

La pluie…

tombe et le ciel s'assombrit.

La pluie…

te mouille. Mets-toi à l'abri!

La pluie…

tombe de plus en plus fort.

La pluie...

ne t'empêche pas de jouer
dehors!

La pluie…

lave les traces sur tes joues.

La pluie…

te fait glisser dans la boue.

La pluie…

donne une douche à ton chien.

La pluie…

arrose les fleurs du jardin.

La pluie…

aide les plantes à pousser.

La pluie...

crée un arc-en-ciel coloré!

LA PLUIE

Les nuages sont faits d'eau.

La pluie est de l'eau qui tombe des nuages.

La bruine est une pluie fine.

L'eau arrose les plantes et les aide à pousser.

Après la pluie, il y a parfois un arc-en-ciel.